EL BARCO
DE VAPOR

Se vende papá

Care Santos

Ilustraciones de Andrés Guerrero

7/18 SM
3/5

LITERATURA**SM**•COM

Primera edición: febrero de 2011
Décima edición: agosto de 2016

Gerencia editorial: Gabriel Brandariz
Coordinación editorial: Berta Márquez
Coordinación gráfica: Lara Peces

© del texto: Care Santos, 2011
© de las ilustraciones: Andrés Guerrero, 2011
© Ediciones SM, 2015
  Impresores, 2
  Parque Empresarial Prado del Espino
  28660 Boadilla del Monte (Madrid)
  www.grupo-sm.com

ATENCIÓN AL CLIENTE
Tel.: 902 121 323 / 912 080 403
e-mail: clientes@grupo-sm.com

ISBN: 978-84-675-7975-8
Depósito legal: M-7848-2015
Impreso en la UE / *Printed in EU*

A Niko Miralles,
que todavía es analfabeto.

1

UN PADRE PERFECTO
LLEGA DE REPENTE

VIERNES POR LA NOCHE. Pizza cuatro quesos. Palomitas y regaliz. Película de piratas. Tu mejor amigo esperándote en el sofá y su padre que acaba de prepararlo todo en las mesitas plegables y dice:

–Óscar, Nora, ¡la cena y la película están preparados!

¡Fantástico! ¿Puede haber una manera mejor de empezar el fin de semana?

Los viernes, la madre de Óscar siempre llega tarde porque hay club de lectura en la librería El Librodrilo (ella es la dueña). A mí me encantan las reuniones de lectores (y aún más los cuentacuentos), pero la del viernes por la noche no me interesa, porque está dirigida a padres y madres y solo leen libros de esos aburridos para aprender a educarnos. Ya sabéis, libros que solo con ver el título ya te entran ganas de tirarlos por la ventana: *Aprende a decir no a tus hijos* o *Prohibidas las golosinas*, y cosas por el estilo.

Los viernes por la noche, el padre de Óscar se queda con nosotros haciendo tareas atrasadas de la casa. A veces plancha, o cose –¡se le da muy bien!–, o prepara la cena mientras escucha la radio. Es fantástico, porque deja que Óscar se quede en el salón hasta tarde, y además le da permiso para ver la película que más le guste, ¡e incluso para manejar el mando a distancia! ¿Os habéis fijado en que los padres siempre quieren tenerlo y no lo sueltan por nada del mundo?

De modo que era viernes. Habíamos ido al videoclub a alquilar la última peli de nuestra pirata preferida, Mimí Katiuskas. Ya la habíamos visto en el cine, por supuesto, pero teníamos muchas ganas de volver a alucinar con las argucias de Mimí y sus amigos surcando todos los mares de la Tierra, cómodamente instalados en el sofá. La película iba a empezar de un momento a otro. La pizza se acercaba por el pasillo y olía a gloria. Óscar me esperaba para dar el primer bocado y yo bajaba la escalera con el pelo mojado y la ropa sucia en la mano, porque me acababa de duchar.

–Venga, date prisa –escuché que decía mi amigo, mientras yo patinaba con los calcetines limpios por el pasillo.

Óscar apretó la tecla *play* del mando.

–¡Me han dicho que en esta los anuncios son muy buenos! –dijo.

A Óscar y a mí nos encantan los anuncios de las películas. A veces, incluso más que la propia película. Nos lo pasamos genial mirándolos, sin perdernos ni uno. Óscar tenía razón: esos prometían. El primero iba de una casa encantada llena de bichos asquerosos que vivían en el sótano. Y el segundo, de un oso polar muy simpático que se marchaba a la selva amazónica en busca de aventuras.

Tomé un trozo de pizza y me dejé caer sobre el sofá justo cuando unas carcajadas aterradoras acompañaban al título –en letras rojas– de la primera peli. Óscar y yo nos miramos a los ojos, como queriendo decir: «Esta también la querremos ver», y asentimos con la cabeza. Los dos teníamos la boca llena.

En ese momento sonó el timbre de la puerta.

–¿Quién será a estas horas? –preguntó el padre de Óscar, poniendo cara de extrañado y soltando la plancha.

No prestamos la mínima atención. El oso polar nos había dejado helados. El primer trozo de pizza ya dormía dentro de nuestras tripas. Entonces escuchamos una voz que conocíamos bien. Una voz fuerte como la de un cantante, acompañada de una carcajada simpática y segura.

Era mi padre.

Óscar apretó la tecla *pause* del mando y la imagen se quedó congelada en la pantalla.

Me di la vuelta para mirar hacia la puerta. Ahí estaba mi padre. Con su sonrisa encantadora, de pie, junto a una maleta enorme.

–Buenas noches. Acabo de llegar de los Estados Unidos y vengo a buscar a Nora –anunció.

Corrí hacia él y le di un abrazo muy fuerte, mientras intentaba calcular cuánto tiempo llevaba sin verle. ¿Seis meses? ¿O habían sido siete? Me atrapó entre sus brazos de oso y me apretó, como hacía cuando era pequeña. Por si no lo sabéis: es fantástico que tu padre te abrace como un oso.

–Pasa, por favor. No te quedes en la puerta –dijo el padre de Óscar–. ¿Te apetece una porción de pizza?

–¿Pizza? –dijo mi padre arrugando la nariz–. No, gracias, ya he cenado.

Pasó al comedor. Miró las mesitas con la cena y la película congelada. Pareció muy extrañado. Óscar me contemplaba con ojos de pánico, como preguntando: «¿Te tienes que ir sin ver la peli que llevábamos semanas esperando?».

En ese momento me habría encantado poder hacer con la realidad lo mismo que acababa de hacer con la película. Es decir, congelarla ahí mismo.

Lo haré un momento, pero solo para explicar cuatro cositas:

1. Mi padre es presentador de televisión. Hasta una semana antes de su aparición estelar en el comedor de casa de Óscar, presentaba un concurso muy famoso llamado *El más memo siempre gana*. Era un concurso horrible, pero tenía un éxito enorme. En mi escuela todo el mundo estaba enganchado. Por descontado, en mi cole todo el mundo cree que mi padre es el hombre más interesante del mundo y que yo soy la niña más afortunada, precisamente por ser su hija. A mí, tener un padre famoso nunca me ha gustado demasiado. Pero en esos momentos, y sin saberlo, estaba a punto de descubrir que puede haber cosas peores.

2. Fue por culpa del éxito de ese concurso horrible por lo que me fui a vivir con Óscar. Mi padre viajaba mucho. El concurso lo grababan en unos estudios de Madrid. Últimamente, además, la cadena de televisión para la que trabajaba decidió comprar un canal de Estados Unidos y hacer una versión del concurso, presentada también por su estrella más reconocida. Es decir: papá. Yo vivía entonces con una novia suya que se llamaba Fermina Daza (me caía fatal) y que, de repente, se fue de casa. Como a nadie le parecía bien que me quedase sola mientras papá viajaba de un lado para otro, decidimos que viviría un tiempo con Óscar (que es mi mejor amigo) y sus padres. Tener un amigo como Óscar es fantástico. Es como tener un hermano, pero sin tenerle que aguantar cuando no tienes ganas.

3. Óscar tiene un hermano. Se llama el Garbanzo. Bueno, tiene un nombre de los normales, más bien aburrido, pero nosotros preferimos llamarle el Garbanzo, porque cuando nació era pequeñito y arrugado. Todavía no camina, pero ya come judías verdes. Estaría mejor que fuera al revés, ¿no? Yo no tengo hermanos, pero tengo una gata que también vive con nosotros. Se llama Mamá y le gusta mucho dormir dentro del armario de las toallas (en realidad, dentro de cualquier armario).

4. Yo soy Nora. Cuando comenzó esta historia tenía casi diez años. Mi color preferido es el naranja. Las cosas que más odio son: el pescado, la verdura, recoger los juguetes, ir a dormir temprano y los deberes de matemáticas. No tengo madre. Quiero decir que mi madre se fue cuando yo tenía solo unos meses, y no la he vuelto a ver más. Cuando hablamos de ella, mi padre se pone triste. Siempre dice lo mismo: «Los adultos, en ocasiones, nos equivocamos mucho».

Ahora ya podemos descongelar la imagen. *Play.*

–¡Me he quedado sin trabajo! –dijo papá contento, como quien da una buena noticia–. Con todo esto de la crisis, la cadena de televisión se ha arruinado y no tienen suficiente dinero para pagarme.

–Vaya, lo siento muchísimo –dijo el padre de Óscar, sinceramente compungido.

–¡Pues yo no! –respondió mi padre, como si tal cosa–. Ya estaba harto de ese concurso tan repetitivo y de los memos que se presentaban. ¡He decidido cambiar de vida! Quiero pasar más tiempo con Nora. ¡Intentaré ser el padre perfecto que no he sido nunca!

El padre de Óscar decía que sí con la cabeza y ponía sonrisa de satisfacción. Óscar me miraba como preguntándose: «¿Qué le ha dado?». Y yo solo podía pensar en las dos palabras que acababa de escuchar y que, por algún motivo, no me hacían ni pizca de gracia: «padre» y «perfecto».

Quizá esas dos palabras por separado no suenen mal del todo, pero cuando las juntas, sale algo más bien horroroso.

Además, ¿alguien ha conocido alguna vez a algún padre perfecto?

2
ÓSCAR, EL MEJOR INVENTOR DEL MUNDO

ME GUSTARÍA HABLAROS un poco de Óscar, mi mejor amigo. Los dos vamos a cuarto (aunque a grupos distintos). Últimamente ha descubierto cuáles son sus dos grandes aficiones: inventar cosas y el origami. Bueno, ahora que lo pienso, quizá son una misma pasión, porque en las dos hace falta mucha imaginación. Y a Óscar le sobra la imaginación. El origami es el arte japonés de hacer figuritas con papel. Si no te apetece hablar en japonés, también lo puedes llamar «papiroflexia».

Óscar tiene un montón de libros de origami, que enseñan cómo hacer una flor de cuatro pétalos, un oso panda, una pipa (con humo y todo), un piojo y muchas cosas más. Hay cinco niveles, del 1 al 5, según el grado de dificultad: el primero es el más fácil y el último es el imposible. La flor es de nivel 1. El piojo es de nivel 5. A mí no me salen ni las figuras de nivel 1. Cuando veo todos esos gráficos paso a paso, mi cerebro comienza a hacer interferencias. Óscar, en cambio, lo entiende todo a la primera y después me lo explica. ¡Es listísimo!

La segunda afición de mi amigo son los inventos. Se pasa el día imaginando cosas imposibles que a él –y a mí también– le parece que tendrían que existir. A veces son cosas para comer, e incluso animales. ¿Queréis algún ejemplo?

He aquí una pequeña lista de los inventos de Óscar:

1. El patalate. Es un tubérculo parecido a la patata, pero con sabor a chocolate con leche. Es genial para hacer tortillas de patalates, patalates fritos, puré de patalates...

2. La ratotuga. Si la ves en una foto, parece una tortuga de agua con una cola extraña (de ratón), pero como mascota es mucho más divertida que sus hermanas las tortugas normales, porque le gusta mucho correr por todas partes y también jugar a dar vueltas en su rueda de plástico, y mirarla nunca resulta aburrido. Para que viva la ratotuga, Óscar ha inventado la jaula de agua, que es una caja de plástico cubierta por una jaula como la de los hámsters.

3. **La pastilla de convertir agua en batido de chocolate.** Óscar dice que los astronautas comen cosas tan raras como esta. Llenas un vaso con agua del grifo, le echas una pastilla redonda, dejas que surta efecto y ya tienes un batido de chocolate, con espuma y todo, preparado para que te lo tomes.

4. **El robot de hacer los deberes.** Sabe hacer todo, desde primero hasta sexto de primaria, y funciona con energía solar. Imita la letra de cada niño, para que no se note, e incluso ensucia un poco las páginas, para no levantar sospechas (las profesoras son como detectives con estas cosas). También sabe recoger la habitación y hacer la cama. Y si de noche lo dejas conectado a la corriente, sirve como repelente de mosquitos.

Pero, de todos los inventos de Óscar, hay uno que me parece fantástico, increíble, formidable, ¡absolutamente necesario! ¿Estáis preparados para conocer la tecnología del futuro? Con todos vosotros, niños y niñas del mundo:

¡¡¡EL MANDO A DISTANCIA PARA MADRES Y PADRES!!!

¿Habéis deseado alguna vez manejar a vuestros padres como si fuesen una tele? Óscar y yo, sí. El mando funcionaría con cualquier padre o madre y sería muy fácil de usar. Tendría las siguientes funciones básicas (aunque podríamos añadirle alguna más, si a alguien se le ocurre):

1. «Congelación». Hace que el padre o la madre se detenga al instante con solo pulsar la tecla. ¿Os imagináis poder pararlos justo cuando empiezan a regañarnos? ¿O cuando están a punto de decir: «A dormir todo el mundo» o «Tienes cinco minutos para recoger tu habitación»?

2. «Retroceso». Si algo te gusta mucho, lo puedes repetir todas las veces que quieras. Por ejemplo, el momento en que tu padre te da la paga semanal. O ese rato jugando sobre la alfombra, muertos de la risa y haciéndoos cosquillas.

3. «Aceleración». Puedes avanzar deprisa todo lo que no te guste. Una bronca, un sermón, las charlas de tu madre con todas las vecinas que se encuentra por la calle, las largas charlas telefónicas de tu padre sobre asuntos de trabajo aburridísimos...

4. «Volumen». Muy práctico. ¿Por qué será que a las madres y a los padres parece que el volumen de repente se les sube solo?

5. «Diversión». Según aprietes la tecla, tu padre o tu madre se convertirán en las personas más simpáticas y divertidas del mundo. Serán todo el rato como cuando estáis de vacaciones, o como cuando vais en bicicleta durante las tardes de verano, o como cuando se bañan y juegan en la piscina sin estar mirando todo el rato el reloj.

6. «Cuento» (esta función la propuse yo). A cualquier hora del día, sirve para que papá o mamá te cuenten uno de esos cuentos preciosos de antes de ir a dormir. Y sin quejarse de que siempre quieres el mismo ni decirte que tienen sueño o están cansadísimos.

¿Verdad que no está nada mal?
Si algún día Óscar inventa alguna de estas cosas, estoy bien segura de que tendrán mucho éxito.

3

UNA GATA PERDIDA
Y UN LORO DE REGALO

PERO VOLVAMOS A LA NOCHE en que mi padre volvió sin avisar.

El padre de Óscar le preguntó si quería quedarse a cenar. Mi padre miró la pizza, la imagen congelada de la pantalla, la plancha que humeaba en la cocina, y dijo:

—No, gracias. Mejor vuelvo mañana por la mañana.

Entonces nos miró a nosotros y preguntó:

—¿De qué va la película?

–Es *La venganza de Mimí Katiuskas*. ¿La conoces? –dijo Óscar.

–No.

Habría sido una buena ocasión para decirle: «Da igual, no es una película para padres ni para adultos en general. Sirve para entretener a la gente de menos de diez años, mientras los mayores están a sus cosas». En vez de eso, Óscar empezó a explicarle a mi padre qué tipo de pirata intrépida es Mimí Katiuskas, empezando por la primera de las cinco películas que tanto él como yo nos sabemos de memoria. Incluso le dijo que nuestro personaje favorito es Protágoras, el loro de Mimí.

–¿Un loro? –preguntó mi padre, pensativo, antes de decir–: Es una buena idea, sí...

Recogió la maleta y se despidió del padre de Óscar diciendo:

–Entonces, volveré mañana por la mañana, sobre las nueve y media.

A mí me revolvió el pelo, cariñoso.

–Pasadlo bien –dijo, feliz, mientras me apretaba en otro abrazo.

La película fue estupenda. Incluso me gustó más que en el cine. Después, Óscar me ayudó a recoger mis cosas y meterlas dentro de la maleta y de algunas cajas de cartón.

Antes de acostarnos, me di cuenta de que hacía un buen rato que no veía a Mamá.

–Debe de haberse quedado dormida dentro de algún armario. Mañana aparecerá –dijo Óscar, y se le pusieron los ojos brillantes cuando preguntó–: ¿Quieres que antes de ir a dormir veamos algún vídeo de risa?

Esta fue la forma que mi amigo y yo elegimos para dar por terminada mi estancia en su casa: ¡dos ataques de risa delante del ordenador pasada la medianoche! ¿A que está genial?

Por la mañana, la gata tampoco apareció por ninguna parte. Mi padre llegó muy puntual. Llevaba su sonrisa de oreja a oreja dibujada en la cara. Estaba encantador. Parecía muy contento. Y olía a colonia. Yo también me sentía muy feliz. No veía el momento de volver a dormir en mi cama, arrimada a la ventana –para ver las estrellas–, y de pasar horas delante del ordenador, hablando con Óscar o con mis amigos virtuales (que tampoco son muchos).

Pasamos un buen rato buscando a Mamá: miramos bajo la cama de Óscar, en la habitación de invitados (es decir, en la mía), dentro del armario de las escobas, en el de la ropa blanca, sobre la alfombrilla del baño... pero nada de nada. No estaba en ningún lado. Dieron las once menos cuarto. El padre de Óscar tenía que salir a hacer la compra y su madre tenía prisa por abrir El Librodrilo. No podíamos seguir perdiendo el tiempo.

–¿Dónde narices se habrá metido la dichosa gata? –refunfuñaba la madre de Óscar mirando el reloj.

–No te preocupes, Nora. Cuando aparezca, la vendremos a buscar –dijo mi padre finalmente.

Me supo muy mal dejarla allí, pero no hubo manera de hacerla salir. ¿Quizá es que no quería marcharse? Ya lo dice la gente: los animales tienen una especie de sexto sentido para saber que las cosas no van bien.

Cuando todo estuvo recogido, mi padre miró los paquetes con cara de preocupación.

–¿Todo esto? –inquirió.

Había una maleta grande y cuatro cajas de cartón llenas de cosas. A mí no me parecía tanto. Por suerte, Óscar saltó enseguida.

–Si mi madre me deja, os puedo acompañar. Así os ayudo.

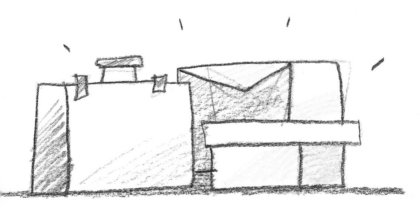

(A Óscar no le gusta nada quedarse todo el rato en El Librodrilo. A veces se aburre tanto que hace los deberes sin que nadie se lo diga. Además, casi siempre le toca cuidar del Garbanzo y eso le gusta todavía menos.)

–Me parece una buena idea –dijo ella–. Pero con la condición de que esta tarde hagas los deberes, ¿entendido?

Nos pusimos en camino. Mi padre tenía un coche enorme aparcado en la puerta. Rojo, de siete asientos y con una entrada por el maletero. Habría sido fantástico si no hubiese resultado tan sospechoso.

–¿Y tu descapotable de dos plazas? –pregunté.

–¡Lo he vendido! –dijo contento mientras llenaba los asientos de la segunda fila con mis cosas–. ¿Queréis ir detrás? Es el sitio más divertido.

–Síiiiiiiiiiii –dijo Óscar, entusiasmado–. ¡Mooooooooooooooolaaaa!

–Así podré llevaros a todas partes. Al cine, a las excursiones, a los partidos de baloncesto, a las fiestas, a la playa... ¡Será fantástico!

–¿Llevarnos? ¿A quién?

–A ti y a tus amigos, ¡por supuesto! –contestó, como si fuera tan normal que mi padre hiciese de canguro.

¡Mooooolaaa!

No le quise decir que «todos mis amigos» ya estaban dentro del coche en ese momento. Y que odio las fiestas de cumpleaños. Las de los otros, por supuesto, porque nunca he celebrado mi propio cumpleaños. Papá subió al coche, nos echó un vistazo por el retrovisor y añadió:

–¡Y espera a ver la sorpresa que te he preparado en casa!

Creo que no puse buena cara. Me acerqué a Óscar y le dije al oído.

–Quizá tenga una nueva novia.

Óscar me miró en plan basilisco-furibundo. Su mirada decía: «Eres una malpensada». Me encogí de hombros. Al fin y al cabo, puede que tuviera razón.

Estábamos aparcando delante de la puerta cuando papá comentó:

–De pequeña te gustaban mucho los cuentos de princesas, dragones y castillos. Te pasabas el día dibujando torres y animales con escamas. ¿Te acuerdas?

¡Caray, de eso hacía casi mil años! Me acordaba, pero no dije nada.

Según atravesamos la puerta del jardín, vi una bandera de colorines con forma de triángulo clavada dentro de un tiesto de geranios. Me pareció muy raro. Mi padre la miraba en silencio, pero tenía cara de satisfacción. Sobre la puerta de entrada, a ambos lados, colgaban otras dos. Recordaban a las películas de caballeros de la Edad Media.

Mi padre hizo tintinear las llaves y abrió la puerta. Tenía cara de protagonista misterioso de peli de misterio. Según entré, por poco me muero del susto. En el recibidor, ahí donde siempre había habido un paragüero, de repente descubrí... ¡una armadura! Estaba allí, en el rincón, como si tal cosa: un par de piernas de hierro, igual que los brazos, los zapatos puntiagudos y un casco con la visera bajada.

–¡Qué guay! –dijo Óscar, emocionado, al verla–. ¿Le puedo dar la mano?

–Por supuesto –contestó mi padre.

Mientras Óscar apretaba la mano de hierro del caballero vacío, yo pasé a la cocina. Entonces me quedé de piedra, boquiabierta, impresionada, muda del susto y un montón de cosas más que no sé cómo definir. ¡Alguien había convertido nuestra preciosa cocina de diseño en un parque temático! La pared estaba pintada de gris, imitando los muros de un castillo. Las sillas estaban escondidas bajo fundas de terciopelo rojo. Las cortinas eran de colorines, como las banderas. Los salvamanteles individuales tenían dibujos de princesas y dragones, como si estuviésemos en un mercado medieval. Sobre la campana extractora colgaba un escudo de caballero. La puerta del horno estaba decorada con rejas, como si fuese un calabozo. Y la nevera, lo mismo. Del techo colgaban guirnaldas y banderines.

–¿Te gusta? –preguntó papá, muy contento.

Caray, no sabía qué decir. Solo conseguí balbucear algunas palabras entrecortadas:

–Es... es impresionante.

Óscar, en cambio, estaba encantado. Iba de un lado a otro mirándolo todo y haciendo todo tipo de aspavientos.

—Mira, ¡las tazas tienen dragones y princesas! —decía, abriendo el armario de la vajilla.

—¡Y los tenedores llevan el escudo de los caballeros guerreros! —añadió mi padre.

Miré hacia el jardín para ver si allí también había almenas o si a mi padre se le había ocurrido abrir un foso rodeando nuestra casa. Me tranquilizó comprobar que todo continuaba como antes.

¿Todo?

No. De hecho, había alguna novedad.

Más bien tendría que decir que había *alguien* nuevo.

Llamé a Óscar y se lo enseñé.

Mi padre nos miraba, orgulloso de que hubiésemos encontrado su última sorpresa.

–¡Anda! ¡Si es un loro! –dijo Óscar, emocionado, mientras salía al jardín corriendo.

Era verde, azul y rojo. Estaba metido dentro de una jaula tan grande que hasta cabría el Garbanzo.

–¿En los castillos de la Edad Media había loros? –preguntó mi amigo, que siempre está atento a todos los detalles.

–No lo sé, pero he pensado que a Nora le gustaría. Siempre le han hecho ilusión las mascotas.

Miré hacia ese bicho enorme. El bicho enorme también me miraba a mí. Creo que pensábamos las mismas cosas el uno del otro.

–¿Tiene nombre? –preguntó Óscar.

–Creía que se lo pondríais vosotros.

A mi amigo le animó mucho esa idea:

–¡Pues claro que sí! ¡Tenemos que ponerle un nombre!

De repente, me vino a la cabeza un presentimiento horroroso. Si mi padre había convertido nuestra cocina en un castillo con caballeros y dragones, ¿qué habría hecho con mi habitación?

Salí corriendo escaleras arriba, tan aprisa como pude. Abrí la puerta... y me di cuenta de que había acertado de lleno. Mi cama ya no estaba ahí. Ahora había literas. Los bordes simulaban almenas. En las cuatro esquinas había cuatro banderas. Un dragón enorme de papel colgaba del techo. En el cabecero de las camas se veían una princesa y un príncipe. Las cortinas tenían un estampado de nubes sobre un cielo azul. Mi ordenador no estaba por ninguna parte.

–¿Verdad que es bonito? –dijo mi padre, detenido junto a la puerta, mirándome.

–¿Todo esto lo has comprado tú? –preguntó Óscar.

–No exactamente. Se lo encargué a un decorador hace unos cuantos días. He de reconocer que ha hecho un buen trabajo.

–¿Dónde está mi ordenador? –pregunté.

–En la cocina, ¿no lo has visto? Lo he escondido debajo de una torre de mentira, para que no desentone –dijo mi padre como si nada.

Y viendo que a mí eso no me hacía ni pizca de gracia, añadió:

–Es mucho mejor que esté allí. Así podré estar por ti cuando lo uses.

Arrugué la nariz. Óscar estaba entusiasmado.

–¿Podré quedarme a dormir algún día? –dijo tocando las almenas de la cama-fortaleza.

–¡Por supuesto! –contestó mi padre–. Siempre que quieras.

En cuanto nos quedamos solos, Óscar dijo muy bajito:

–¡Tu padre es alucinante, Nora! ¡Qué pasada!

Yo solo acerté a pensar: «Sí que lo es».

4

EL PADRE PERFECTO (A VECES) ES UNA LATA

TENGO UNA NOTICIA BUENA y una mala.

La buena: era fantástico que papá estuviese en casa.

La mala: era horrible que quisiera ser el padre perfecto.

Os lo explico:

Antes, me gustaba mucho hacer cosas con mi padre. Tenía mucho sentido del humor y nos lo pasábamos muy bien juntos. Pero desde que decidió convertirse en perfecto, siempre estaba preocupado por algo o leyendo libros horrorosos que le ponían (creo) de muy mal humor.

La primera noche, después de cenar y lavarme los dientes, le pregunté si podía usar el ordenador.

Él estaba sentado a la mesa de la cocina, leyendo un libro que se titulaba *Los niños y las pantallas*. Levantó la cabeza, sonrió y dijo:

–Estaría mejor que dieses de comer al loro.

–Pero me gustaría hablar con Óscar y mirar mi correo –protesté.

–No, Nora. El ordenador sirve para trabajar o estudiar. A partir de ahora, tendremos que limitar un poco su uso.

Huy, eso no me dio buena espina. Y solo era el principio.

Al día siguiente no me quedé a comer en la escuela, como siempre. Papá había decidido que almorzaríamos juntos y en casa.

Cuando llegué, le encontré leyendo un libro que se titulaba *La cocina de las verduras: mil recetas divertidas*.

En la mesa había un plato de brócoli con habichuelas y un salmonete (es un pescado) con zanahorias.

–No me gustan las zanahorias –dije.

–A mí tampoco, pero hay que comer de todo.

Nos sentamos a la mesa un poco compungidos y nos comimos las zanahorias. Papá bebía mucha agua y ponía cara de asco, pero se las terminó todas. Cuando acabé, fui a la nevera a buscar un postre de chocolate. No había ni uno.

–Comeremos fruta. ¡Se acabó el chocolate!

¡Caray! El chocolate es mi comida favorita. Una vida sin chocolate es como una peli de piratas sin un malo feo y vengativo.

También se terminaron las extraescolares.

–Ahora yo puedo atenderte. No hace falta que te quedes tanto tiempo en la escuela.

–Pero es que me gusta hacer teatro –dije.

47

Me acarició el pelo y contestó:

–En vez de eso, haremos los deberes juntos y después saldremos a dar una vuelta. Caminar es fantástico.

¡Odio andar! Quiero decir que odio caminar sin ir a ningún sitio en concreto. No me gusta salir a dar una vuelta.

–¡Pero me perderé mi programa favorito!

–¡En esta casa se ha terminado el ver la tele! Veremos dibujos en inglés en el ordenador. Media hora cada dos días.

Miré el comedor. La tele había desaparecido. En su lugar había un ramo de flores (artificiales).

–¿En inglés? Pero no entenderé nada.

–Ya te acostumbrarás. Así aprendes. Y después leeremos juntos treinta y cinco minutos al día. Es el tiempo que recomiendan los expertos.

–¿Y qué pasa si quiero leer más rato?

Papá se quedó pensativo, se encogió de hombros y respondió:

–Tendré que consultarlo.

Pero lo peor llegó cuando papá me dijo que se había apuntado a la Asociación de Padres y Madres de la escuela.

–¿Y qué harás allí? –pregunté.

–¡Organizar actividades! ¡Hay mucho trabajo!

No quería ni pensar qué ocurriría cuando mis compañeros viesen a mi padre en el patio de la escuela. Hay muchos que no se han enterado aún de que su concurso se ha acabado y la cadena de televisión ya no existe.

–Para comenzar –añadió–, me he ofrecido voluntario para las excursiones. Han dicho que ya me avisarán, aunque al parecer no hay suficientes padres disponibles y será pronto. Mañana mismo iré a comprar una mochila y una fiambrera.

¡Buf! Ya empezaba a pensar que todo sería igual de horrible, pero de vez en cuando también había cosas buenas. Los fines de semana, cuando coci-

nábamos juntos o íbamos a algún sitio divertido, como el acuario o el teatro. Y, sobre todo, el rato del cuento, antes de ir a dormir. Mi padre no tiene nada de práctica contando cuentos. Como además no tiene muy buena memoria, decidió que lo mejor sería inventárselos.

Me moría de la risa con sus historias locas. Un ejemplo:

–Érase una vez un lobo pelirrojo al que todo el mundo llamaba Coloradito. Una tarde, cuando el lobo iba a ver a su abuela, que vivía en medio

del bosque, una niña que se llamaba Nora, que llevaba una caperuza roja, se le apareció y, ayudada por siete traviesos enanitos, se llevó al lobo a su casa y entre todos prepararon el horno para cocinarlo. Pero de dentro del horno salieron tres cerditos a medio cocer, que tenían la manía de soplar y soplar. Tanto soplaron que lograron hacer trizas la casa de Nora y así todos pudieron escapar, y Nora y su padre se quedaron sin cenar y tuvieron que comer judías verdes con salmonetes, y colorín colorado, este cuento se ha acabado...

¡Era fantástico!

Con mucha diferencia, el cuento era lo mejor de tener un padre perfecto.

5

CÓMO SON LOS PADRES REALMENTE PERFECTOS (SEGÚN SUS HIJOS E HIJAS)

1. El padre perfecto nunca quiere que ordenes la habitación y nunca te pregunta si tienes deberes.

2. El padre perfecto siempre tiene ganas de ir a cualquier sitio divertido, como una piscina de bolas, un parque de atracciones o unas camas elásticas. Y cuando va, sube a todas las atracciones y nunca está pendiente de qué hora es ni de cuánto falta para marcharse. Y nunca decide irse antes para evitarse los atascos de la carretera.

3. Al padre perfecto no le importa que te ensucies ni ensuciarse él mismo. Tampoco le importa que te rompas los zapatos (incluso si los acabas de estrenar).

4. El padre perfecto nunca regaña, ni grita, ni se enfada, ni dice «porque lo digo yo», ni te castiga a pensar en el lavabo (ni en cualquier otro sitio), ni te dice «ya eres mayor, tienes que ser más responsable».

5. El padre perfecto quiere que comas a todas horas palomitas, golosinas, pizzas y mucho, mucho chocolate. Por descontado, nunca se le ocurriría hacer pescado o verdura o legumbres para comer (ni espinacas, ni espárragos, ni apio, ni...).

6. Al padre perfecto le gustan las películas de piratas (y de momias, y de osos aventureros, y de guerreros que llegan del espacio, y de esponjas que llevan pantalones, y de chicas guapas que sueñan con ser cantantes, y de casas encantadas, y de zombis enamorados, y de autobuses con patas que parecen gatos, y de...) y siempre se sienta a verlas contigo.

7. El padre perfecto no piensa que la tele es solo suya cuando hay fútbol (es decir, casi siempre). Y, por supuesto, tampoco hace desaparecer la tele del comedor para poner un ramo de flores. Y te deja ver los dibujos en tu propio idioma.

8. Cuando el padre perfecto dice: «Vamos a cenar», muchas veces lo que quiere decir es: «Vamos a pedir una pizza».

9. El padre perfecto nunca trabaja, nunca tiene trabajo atrasado, nunca habla por teléfono ni te dice: «Ahora no, que estoy hablando por teléfono». El padre perfecto, cuando está en casa, nunca enciende el ordenador ni pasa horas y más horas mirando la pantalla, sin hacer caso a nadie.

10. El padre perfecto sabe que el ordenador sirve para más cosas, además de para hacer los deberes. Por ejemplo, para hablar con los amigos, para jugar, para ver vídeos de risa y para hacer fotos divertidas con la cámara y enviárselas a tus amigos. Además, el padre perfecto también hace esas cosas.

11. Los días de lluvia, al padre perfecto le encanta pisar charcos. También le gusta hacer figuritas de barro y decorar las paredes de la casa con pinturas murales y amasar galletas con sus propias manos o acostarse pasadas las doce o dejarte dormir en la cama hinchable todos los días que quieras.

12. El padre perfecto nunca dice: «Pregúntaselo a tu madre», porque siempre lo tiene todo claro. Tampoco dice nunca: «Haz caso a tu madre», ni «No hables así a tu madre», ni «Como vaya yo, te vas a enterar».

13. Por descontado, el padre perfecto no fuma. Sabe muy bien que fumar es malo y, además, molesta a la gente. Encima huele fatal y es muy desagradable.

14. El padre perfecto se afeita todos los días y nunca raspa cuando le vas a dar un beso. Es más: huele a colonia y a limpito. Con solo olerlo, te dan ganas de comértelo a besos.

15. El padre perfecto lleva todo tipo de juegos en el teléfono móvil, y te lo deja siempre que estás aburrida. Además, no grita si se te cae –por accidente– el móvil al suelo. Ah. Hablando de móviles. El padre perfecto nunca te dice: «No tienes edad para llevar móvil», sino que te compra uno en cuanto se lo pides y te lo recarga cada vez que se te acaba el saldo.

16. El padre perfecto nunca se olvida de darte la paga. Y, de vez en cuando, te la aumenta, sin que tú se lo pidas. Y te deja que la gastes en lo que tú quieres (por ejemplo, chucherías).

17. El padre perfecto nunca te dice: «A ver los dientes», cuando te los acabas de lavar. De hecho, no le importa si un día o dos no te los lavas.

18. El padre perfecto nunca dice: «Ahora no, que estoy muy cansado» (aunque lo esté).

19. El padre perfecto no se hace el super-simpático con la nueva profesora, sobre todo si ella es superguapa y superjoven y superamable.

AVISO: Casi ningún padre perfecto es capaz de hacer todas estas cosas al mismo tiempo.

AVISO SEGUNDO: Todas estas cosas son igualmente aplicables para la madre perfecta.

Creo que nunca he conocido a ningún padre (ni a ninguna madre) así. Eso es porque hay palabras que son muy misteriosas: tienen significados distintos dependiendo de quién las diga.

«Perfecto» es una de ellas.

Si preguntáis a un padre qué tendría que hacer para ser perfecto, os dirá todo tipo de cosas aburridas. Si se lo preguntáis a un hijo o una hija de diez años o menos, las respuestas serán más o menos como ya sabéis.

¿Y para vosotros? ¿Cómo es el padre perfecto?

* * *

El caso es que los días pasaban y el loro seguía sin nombre.

Un sábado por la mañana, Óscar vino a estudiar. Necesitaba ayuda para repasar las tablas de multiplicar.

—Me encanta que os ayudéis —dijo mi padre en cuanto se enteró—. ¡Hay que saber trabajar en equipo!

Me fijé en el título del libro que se estaba leyendo: *Enseña a tus hijos a ser buenos ciudadanos*.

Como era domingo y además teníamos un invitado, mi padre hizo macarrones con salsa boloñesa y mucho queso rallado. ¡Buenísimos!

Después de comer, Óscar y yo salimos al jardín a tomar el sol y a repasar las tablas del 7 y del 8, que son las más complicadas. El loro nos miraba muy interesado, como si también quisiera aprendérselas.

Nos sentamos en dos tumbonas, al lado de la jaula del bicho sin nombre, y empecé a hacer preguntas desagradables a mi amigo, tales como:

–¿Siete por dos?

–¡Catorce!

–¿Nueve por nueve?

–Ochenta y uno.

Sabía cuál era el punto débil de Óscar. Siempre se equivocaba en el mismo sitio: 8 por 7 o 7 por 8. No había manera.

–Cincuenta... –dudó– ¿y cuatro?

–¡Que no! –dije–. ¡Siempre te equivocas! ¡Son cincuenta y seis! Te lo tienes que grabar en la cabeza: ¡cincuenta y seis!, ¡cincuenta y seis!, ¡cincuenta y seis! ¿Lo recordarás?

No contestó Óscar. Contestó el loro.

Se ve que hacía un buen rato que aguzaba el oído sin decir ni pío. Y de repente dijo con voz chillona y destemplada:

–¡Cincuenta y seis! ¡Cincuenta y seis!

Óscar y yo estallamos en carcajadas.

¡Cincuenta y seis!

¡Cincuenta y seis!

Ya teníamos nombre para el loro. Un nombre un poco raro, lo reconozco. Pero, al mismo tiempo, era una manera muy original para que mi amigo recordase la tabla de multiplicar completa.

–Desde ahora mismo, te llamarás Cincuenta y Seis –dijo Óscar acercándose con prudencia a la jaula del animal.

Cincuenta y Seis pareció muy satisfecho con su nuevo nombre.

6

¿PUEDE HABER ALGO PEOR
QUE IR DE EXCURSIÓN CON TU PADRE?

PERO LO PEOR FUE llegar a casa una tarde y encontrar sobre la mesa de la cocina dos mochilas iguales, dos fiambreras, dos sacos de dormir y dos botellas de agua de esas para ir de excursión.

–¡Voy con vosotros de convivencias! –dijo, eufórico.

Era increíble, porque mi padre odia el campo. Lo dice siempre: lo que a él le gusta de verdad son las grandes ciudades. Nada de tierra y caminos de cabras, nada de animales y montañas, nada de árboles y vegetación. A él, que le den cemento y asfalto.

Y ahora, de repente, había decidido acompañar a los chicos y chicas de cuarto B al castillo de Fluvià, en medio de la montaña del Montseny. Solo de imaginarme a mi padre caminando de noche por el campo con una linterna, ya me daban ganas de quedarme en casa. Y no digamos al imaginarlo en la discoteca, bailando con aquel estilo suyo pasado de moda que gusta tanto a otros padres (y madres) pasados de moda.

Creo que fue ver a mi padre vestido de excursionista y decidir que aquello no podía continuar así, que debía hacer algo. No corrí a de-

círselo a Óscar, como habría hecho antes, porque ahora mi padre no me dejaba encender el ordenador por las mañanas.

–¡Nada de ordenador! La hora de desayunar sirve para hablar sobre todo lo que haremos durante el día. No puedes estar siempre pegada a la pantalla –me había dicho nada más inaugurar nuestra nueva vida.

Tuve que esperar tres días para contárselo a mi amigo. Hasta que volvimos. Por suerte, me llamó él, inquieto por saber cómo nos lo habíamos pasado.

–¿Qué tal han ido las convivencias? ¿Te lo has pasado bomba?

–Pffffffff –contesté.

–¿Me lo cuentas?

–Ahora no puedo, Óscar, pero tienes que ayudarme. ¡Tenemos que hacer algo! ¡Y enseguida! ¡Esto es insoportable!

–Claro –dijo él–. ¿Tienes alguna idea?

–Necesito tu ordenador.

Todo esto lo decía muy bajito, mientras mi padre se daba una ducha. Desde la cocina, escuchaba el ruido del agua y a mi padre cantando, muy animado:

–*A quién le importa lo que yo hagaaaaaaa... A quién le importa lo que yo digaaaaaaaaa...*

–¡Por supuesto! ¿Y qué quieres hacer? No querrás ponerlo a la venta, ¿verdad? Mira que a mí no me salió nada bien...

–No, no, no. Es otra cosa. Si pongo a la venta a mi padre, ¡colapsaré internet! ¿No ves que todo el mundo le encuentra fantástico y le querría comprar?

Óscar se quedó callado al otro lado de la línea. De sobra sabía lo que estaba pensando: que mi padre es realmente fantástico.

–No te preocupes, te ayudaré –dijo, porque por encima de todo es mi mejor amigo.

–Por cierto –le dije antes de colgar–, ¿has sabido algo de mi gata?

–Nada. Sigue sin aparecer. Mi madre dice que le preguntará a los vecinos por si la han visto.

Entre una cosa y la otra, colgué muy preocupada.

–¿Quién era? –gritó mi padre desde el baño.

Pensé que era un buen momento para poner en marcha mi plan.

–Óscar –contesté–. Quería invitarme a dormir en su casa el viernes. Haremos un maratón de Mimí Katiuskas. ¿Puedo ir? Porfa, porfa, porfa...

¡No te preocupes...!

Mi padre arrugó la nariz (no demasiado), arqueó una ceja (poco) y sonrió. Se le notaba que estaba contento (y cansado).

–Está bien. Ya veo que os echáis de menos. Pero la semana que viene vendréis aquí, ¿de acuerdo? Os haré pastel de remolacha.

¡Caray! ¡Qué plan más fantástico! ¡Película de piratas y pastel de remolacha! Si los piratas lo supieran, sentirían ganas de vomitar.

Sonreí. Cara de niña buena (y contenta). Y como quien no quiere la cosa, antes de irme a la ducha, pregunté:

–¿No tienes ganas de volver a trabajar, papá?

Se lo tuvo que pensar. Buena señal. Finalmente contestó:

–Ahora el trabajo está muy mal, hija. Para aceptar cualquier cosa que me ofrezcan, estoy mejor en casa contigo. ¿No crees?

7

LA NOCHE DE LOS VIERNES ES BUENA PARA BUSCAR TRABAJO

EL JUEVES POR LA MAÑANA, lo del maratón de Mimí Katiuskas dejó de ser mentira. Nos encontramos a Óscar y a su madre en la puerta de la escuela. Según me vio, me revolvió los pelos.

–Hola, Nora. ¿Cómo estás? ¿Sabes que te echamos de menos? Podrías venir el viernes y montaríamos un maratón de pelis de esa pirata que os gusta.

Óscar me guiñó el ojo, como diciendo: «Mi madre y yo somos un equipo perfecto». El Garbanzo no estaba. Le acababan de dejar en la guardería.

–Y tú, Martín, podrías venir a nuestra reunión en El Librodrilo –dijo la madre de Óscar a mi padre–. Estoy segura de que te gustaría mucho conocer a otros padres y madres y participar en nuestro club de lectura. Aprendemos un montón de cosas útiles.

¿Cómo no se me había ocurrido a mí? ¡Claro que le gustaría! ¡Era justo lo que necesitaba! De hecho, dijo que sí enseguida. La madre de Óscar continuó:

–Puedes empezar este mismo viernes, si quieres. El libro que comentaremos se llama *Aprende a tomártelo con calma*. Le daré un ejemplar a tu hija, ¿vale? Así tendrás tiempo de leerlo antes de la reunión del club.

Dicho y hecho. Óscar me dio el libro esa misma tarde; yo se lo di a mi padre, y él se lo leyó en menos que canta un gallo, sin desarrugar la nariz ni un momento. El viernes por la noche, hice la mochila y me fui a casa de Óscar.

La primera parte de la velada fue más o menos como siempre. Vimos la primera película de Mimí Katiuskas (nunca nos cansamos), comimos una pizza deliciosa de cuatro quesos y, después, Óscar me enseñó la última figurita que había aprendido a hacer con sus libros de origami. Era de nivel 5. El camaleón.

–¡Hala! ¡Es fantástico! –dije.

(Realmente lo era.)

–Toma, te lo regalo.

–Pero si es el más difícil que has hecho hasta ahora, tu propio récord.

–Claro, por eso quiero que lo tengas tú. Eres mi mejor amiga.

–Me lo dijo con las mejillas un poco coloradas, como si le diese vergüenza. Le di un beso en la mejilla, porque nunca nadie me había regalado un camaleón japonés, y me pareció que los mofletes le explotarían, de tan rojos como se le pusieron.

Después fuimos a su habitación, dispuestos a comenzar nuestros negocios. Óscar me dejó sentarme en su silla, frente al ordenador. El aparato se encendió con una melodía graciosa. ¡Cómo echaba de menos aquel sonido! Y cómo echaba de menos los mensajes que Óscar y yo nos enviábamos después de cenar, por el canal de conversación. Y también ver vídeos de esos divertidos. Y escuchar mi música y...

Óscar me devolvió al mundo real.

–¿Qué tenemos que hacer? –dijo.

Tenía razón.

–Necesito conseguir nombres y direcciones de productoras de televisión. Las productoras son las que contratan a los presentadores famosos, como mi padre, para que hagan sus programas. ¡Necesitamos que alguna le contrate! ¡Tenemos que conseguirle trabajo! Así dejará de estar todo el día pendiente de mí.

Óscar abría la boca, maravillado.

–Tienes razón... Es una buena idea.

–Además, él no lo reconocería nunca, pero estoy segura de que añora su vida anterior. Ha regalado todas las teles de la casa. Él dice que es porque no quiere que yo pierda el tiempo mirándolas, pero creo que es porque verlas le pone triste. Siente nostalgia. La semana pasada le sorprendí mirando sus álbumes. Guarda todas las fotos que le han hecho y los artículos que se han publicado sobre él en los periódicos. Los miraba con mucha tristeza y suspiraba todo el rato.

–¿Suspiraba? –preguntó Óscar, como si fuese un mal síntoma.

–Sí.

–¡Está claro que debemos ayudarle! –dijo mi amigo.

Nos pusimos manos a la obra. Lo primero, escribí en la barra del buscador «productoras de televisión».

Aparecieron más de quinientas.

–¡Ostras! ¡Hay muchísimas más de lo que me creía! –dije.

–¿Tendremos que enviar quinientos mensajes?

–No. Tendremos que seleccionar muy bien –contesté–. Mi padre es muy famoso y tiene mucha experiencia. No puede trabajar para cualquiera.

–¡Bien dicho!

–A ver...

Escribí el nombre de nuestra ciudad e hice una nueva búsqueda. Esta vez solo aparecieron cincuenta y tres. Las miré una por una, mientras Óscar iba apuntando las que le parecían más interesantes: Producciones Tábano, Nomedigas Sociedad Anónima, Maravillas Televisión... Cuando acabamos, teníamos una lista de diecinueve. También buscamos algunas en Madrid, pero solo apuntamos las que nos parecieron más importantes.

–No pasa nada si tiene que viajar un poco –murmuré.

Óscar era el ayudante perfecto, serio y atento, bien metido en su papel.

–Ahora tenemos que redactar un currículum –anuncié.

–¿Un qué? –preguntó.

–Un currículum. Es una lista de los trabajos que has hecho, donde también explicas qué estudios tienes y añades una foto. Sirve para que las productoras que van a contratarte sepan quién eres y puedan empezar a conocerte.

–Ah.

Abrí un documento de texto para escribir. Encima de todo puse, con letras grandes, el nombre de mi padre:

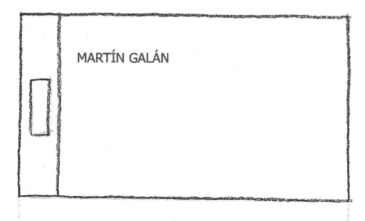

MARTÍN GALÁN

Necesitaba una foto suya. La busqué por internet. ¡Había miles! Aunque no fue fácil encontrar una donde no estuviese con ninguna novia, ni llevara un bañador estampado horrible, ni se le viera navegando a bordo de su yate, ni estuviera acompañado por algún desconocido que se había querido tomar una foto con él. Al final, encontré una buena. Se le veía muy elegante, sonriendo a la cámara y enseñando sus dos hileras de dientes perfectos.

La coloqué en el documento, arriba del todo.

–Ahora tengo que escribir sus datos personales –dije justo antes de poner:

MARTÍN GALÁN
Presentador de televisión
45 años
Simpático y guapo

–¿Tú crees que eso de guapo hay que ponerlo cuando buscas trabajo? –dijo Óscar–. Los feos también trabajan, creo...

Dudé un momento.

–Pero los feos no son presentadores de televisión –contesté.

Óscar dijo que sí con la cabeza, dándome la razón.

–Ahora tenemos que poner sus datos profesionales.

Escribí:

ESTUDIOS

Intenté recordar dónde me había dicho papá que había estudiado. Le gusta mucho contarlo, pero debo reconocer que quizá no presté suficiente atención las veces que lo hizo.

Puse:

Estudió mucho en un colegio de curas.
Después fue a la universidad de los presentadores de televisión.

–¿Estás segura de que no tendrías que poner algo más? –dijo Óscar.

Me encogí de hombros.

–Creo que no tiene ninguna importancia esto de los estudios. ¿A ti te parece que la mayoría de los presentadores ha estudiado alguna vez algo?

Óscar volvió a decir que sí con la cabeza.

–Continuemos. Ahora toca el apartado...

EXPERIENCIA PROFESIONAL

–Suena bien –dijo mi amigo, impresionado.
–Esto sí que me lo sé. Mi padre ha hecho un montón de trabajos. Comenzando por los anuncios...
Escribí todo lo que recordaba:

El anuncio del dentífrico Dientesblancos

El anuncio de la colonia Guapolette

El anuncio de las patatas fritas Puax

El anuncio de los hoteles Quecaló

El anuncio de las máquinas de afeitar Finmen

Y muchos más, que serían largos de enumerar

(Lo escribí así, para que todo el mundo viese que mi padre tiene muchísima experiencia en eso de anunciar todo tipo de cosas.)
–Ahora, los programas de tele –dijo Óscar.

83

–Seguro que, con solo leer el nombre de los concursos, todo el mundo querrá contratarlo –dijo mi amigo.

Suspiré. De verdad deseaba que las cosas le fueran bien a mi padre. Quería verle contento. Y, de paso, quería que se olvidase un poco de esa nueva manía de ser el padre perfecto y me dejase un poco más a mi aire.

Escribí el correo electrónico de Óscar debajo de los datos de mi padre, y dije:

–Creo que ya está todo. Ahora solo queda enviarlo.

Abrí un mensaje de correo electrónico e intenté ser muy amable:

Estimado señor productor:

Le envío el currículum de mi padre.
Le estoy ayudando a buscar un trabajo nuevo.
Si cree que le puede ofrecer algo realmente
interesante (porque mi padre es muy bueno),
le agradeceré que lo haga lo antes posible.
Un abrazo.
Nora

–¡Es fabuloso! –aplaudió Óscar.

Escribí los correos de todos los destinatarios (como eran muchos, necesité un buen rato), adjunté el currículum de mi padre y pulsé la tecla «enviar».

–Listo. Ahora solo queda esperar –dije.

8
IR DE CONVIVENCIAS CON PAPÁ
NO ES LO MÁS DIVERTIDO DEL MUNDO

VOLVAMOS UN POCO HACIA ATRÁS, al instante en que Óscar me preguntó:

–¿Qué tal han ido las convivencias? ¿Te lo has pasado bomba?

Pues bueno, es el momento de decir toda la verdad: las convivencias fueron FATAL. Por lo menos, para mí. Resultaron las convivencias más aburridas de mi vida.

Todo comenzó muy temprano, nada más llegar a la escuela. Desde el principio, mi padre se
dio cuenta de que en la puerta había mucha más
gente de lo normal. A mí también me pareció
un poco extraño. Había muchas madres (y unos
cuantos padres) de mis compañeros y compañe-
ras de cuarto B. Había alumnos de otros cursos
que no se marchaban de convivencias: de tercero,
de sexto, incluso de segundo… Alguien podría
haber pensado por qué no subían a sus clases y
se arriesgaban a que les pusieran una falta en
puntualidad. La respuesta estaba allí mismo,
porque las maestras de tercero, quinto y segundo

también esperaban en la puerta. Y, lo más raro de todo, también había madres y padres de niños de otros cursos. Entre todos, parecía una manifestación.

Ya he dicho que yo no entendía nada, pero enseguida me di cuenta de que mi padre sabía perfectamente lo que estaba pasando allí, y que además estaba encantado. Puso su sonrisa más arrebatadora, la de salir por la tele, esa que tanto gustó a los inventores del dentífrico Dientesblancos al principio de su carrera.

Al vernos, un grupo de sexto echó a correr hacia nosotros. Llevaban papel y bolígrafos.

–¿Nos puede firmar un autógrafo, señor Galán? –le preguntaron dos o tres voces al mismo tiempo.

Mi padre dejó la mochila en el suelo, satisfecho, y dijo:

–¡Por supuesto! ¡Será todo un placer! ¿Cómo os llamáis?

Todavía no había acabado de firmar los autógrafos de los chicos de sexto cuando se acercaron unos veinte padres y madres, muy contentos, con sus papeles en la mano.

–¿Le importaría? ¡Es tan emocionante cono-cerle en persona! –dijo alguien.

–¡Por supuesto que no! ¡Deme, deme! –papá le arrancó el papel de las manos y escribió lo mismo de siempre: «Con afecto de Martín Galán», y su firma, acompañada de un garabato elegante como un lazo.

–¡Gracias! ¡Qué amable es! ¡Y qué sencillo! –decía alguna mujer, emocionada.

Después llegó el turno de los profesores, y de mis compañeros, y las maestras de otras clases y los padres de chicos de otras clases...

El conductor del autobús comenzaba a ponerse nervioso de tanto esperar con el motor en marcha. Pero nadie, salvo él y yo, parecía ni un poco molesto con todo lo que estaba pasando.

Me decidí a entrar al autobús, sola, y me senté en la última fila, mi preferida, a esperar a que alguien se diera cuenta de que hacía media hora que deberíamos haber salido. Desde allí escuchaba a todo el mundo hacerle la pelota a mi padre.

–Es fantástico que se haya ofrecido voluntario para acompañar a los niños de convivencias. Qué privilegio para ellos –decía una profesora de tercero A.

–Sí, es muy amable por su parte dedicarles su tiempo, con lo ocupado que debe de estar –añadía otra.

–¡Si lo llego a saber, yo también me apunto! –opinaba una tercera.

Mi padre sonreía de lado y contestaba a sus fans.

–Me encanta hacerlo. Estén seguros de que los vigilaré bien.

–¡Por supuesto! ¡Por supuesto! ¡No nos cabe la menor duda!

Me puse la gorra intentando taparme los ojos con la visera. De hecho, lo que de verdad deseaba taparme eran los oídos.

¡Salimos más de tres cuartos de hora tarde! Lo peor fue que a nadie le importó. Solo a mí.

–No nos habías dicho que venía tu padre. ¡Es genial! –opinó María González.

–¿Podremos jugar a *El más memo es el mejor*? –preguntó Andrés Serrano.

¡Caray! Esperaba que esa ocurrencia no le gustase a nadie, pero...

–Sí, sí, sí, qué buena idea –gritó Elisenda Obiol–. ¡Hagámoslo, hagámoslo, hagámoslo! Yo quiero ser la concursante más mema.

A las profesoras les gustó muchísimo la idea, y mi padre, por supuesto, no dijo que no. Y todo esto, sin ni siquiera haber salido de la escuela.

No sé ni cómo consiguió mi padre atravesar la nube de fans y subir al autobús. Lo primero que hizo al acomodarse en su asiento fue llamarme.

–Ven aquí delante, Nora –ordenó.

–Me gusta ir detrás del todo –protesté.

–¡De ninguna manera! ¡No quiero que te marees!

Durante todo el camino, no paró de hablar. No conmigo. Con las maestras. Incluso las animó a cantar una canción:

Cinco minutos después, todo el mundo cantaba:

Ya estoy más que acostumbrada. Mi padre causa ese efecto. Todo el mundo hace lo que él dice.

En la casa de las convivencias, había una habitación especial para los profesores.

–En mi habitación sobra una cama –me dijo–. Podrías venir a dormir conmigo.

–Pero, papá, quiero dormir con mis compañeros –protesté.

No pude convencerle. Él quería que compartiésemos habitación. Le parecía muy divertido.

–¡Nunca hemos ido juntos de convivencias, Nora! ¡Es estupendo!

«Ni tendríamos que haber ido nunca», pensaba yo.

Después de cada comida, me llamaba y me decía:

–A ver los dientes, Nora.

Cuando toqué al burro, me hizo ir a lavar las manos enseguida (nadie más lo hizo, solo yo).

En el juego nocturno, quiso que fuera con él para que no me cayese. Y después estaban los autógrafos. Todo el mundo le pedía uno. Los cocineros, los animadores, el director... ¡incluso el duende del juego nocturno (un actor con la cara pintada de verde)! Habría encontrado normal que se lo pidieran incluso las ocas y las ovejas de los establos.

Y a la mañana siguiente, como había temido, jugamos a *El más memo siempre gana*. Mi padre hacía preguntas y mis compañeros tenían que adivinarlas. Ganaba el que no se sabía ninguna, como pasaba en el programa de la tele, y todo el mundo salió contentísimo después de pasarlo en grande.

¿Todo el mundo?

No. Yo me fui a dormir temprano.

Conclusión: es fantástico tener a mi padre todo para mí, pero no es nada fantástico compartirlo con todo cuarto B.

9
BUSCAR TRABAJO PARA UN FAMOSO ES DE LO MÁS COMPLICADO

DOS DÍAS DESPUÉS DE ENVIAR el currículum de mi padre, sonó el teléfono. Eran más de las diez de la noche, y mi padre y yo estábamos en nuestra cocina medieval, inmersos en nuestros treinta y cinco minutos de lectura compartida. Yo, con el libro que me habían mandado en la escuela. Él, con un tocho que se llamaba *¿Quién manda en casa?*

Contestó mi padre, por supuesto. E hizo un gesto con la mano que quería decir: «Tú continúa leyendo».

Escuché cómo decía:

–Hola, Óscar. ¿Qué tal? Sí, claro. ¿Y tiene que ser ahora? ¿No puedes esperar a mañana para decírselo?

No sé cómo se las ingenió mi amigo, pero el caso es que le convenció.

–Está bien, pero no os entretengáis mucho. Nora está leyendo.

–Óscar parecía muy nervioso. En cuanto escuchó mi voz al otro lado de la línea, corrió a decir:

–¡Han contestado! ¡Han contestado!

–¿Ah sí? –intenté disimular para que mi padre no se diera cuenta–. ¿Qué libro?

Óscar reaccionó bien. Enseguida se dio cuenta de que hablábamos en clave, como los espías de las películas.

–Son de una productora que se llama Huy Televisión. Tienen el despacho en el centro de la ciudad. Y quieren verte.

–¿A mí? ¿Seguro? –pregunté.

Mi padre me hacía gestos para que colgase, separando los dedos índice y corazón y moviéndolos como si fuesen unas tijeras.

–¡Por supuesto! El correo lo dice bien claro: mañana por la tarde. ¿Quieres que te lo lea?

Miré a mi padre y contesté:

–No, ahora no puedo; estoy leyendo. Pero si quieres, quedamos mañana por la tarde y te ayudo, ¿vale?

–¡Eres genial, Nora! –dijo Óscar–. Eso ha sonado auténtico.

–Espera un momento –me separé un poco del teléfono y le pregunté a mi padre, poniendo cara de niña buena–: ¿Puedo ir mañana a casa de Óscar? Necesita que le ayude con una lectura muy difícil que le han mandado.

–Por supuesto que sí –dijo él sin ni siquiera pensarlo–. Es genial que aprendáis a ayudaros.

–Mañana, entonces –le dije a Óscar, que al otro lado del teléfono dejó escapar una especie de grito de emoción.

–¡Uuuuuuuuuuuuuuhhh! ¡Será estupendo! ¡Entonces, hasta mañana!

Y continué leyendo, sin poderme sacar de la cabeza qué les diría a los serios señores de la productora Huy Televisión.

Al día siguiente, todo salió bien. Óscar me esperaba en la puerta de los contenedores, nervioso, como si la entrevista la tuviera él. Había traído un bono de transporte y sabía perfectamente qué línea teníamos que tomar para llegar a la productora. Nos plantamos allí en menos de veinte minutos. Llamamos al telefonillo y nos abrieron sin preguntar ni siquiera quiénes éramos. En el portal había un ascensor de los antiguos, con muchas puertas de esas que hay que abrir y cerrar a mano. Y dentro, un banco de madera sobre el que Óscar se sentó, encantado por la novedad. La productora estaba en el tercer piso, pero él pulsó el octavo.

–¿Qué haces? –le pregunté, enfadada.

–Este ascensor es genial. Así estamos dentro un poco más. ¡Parece una atracción antigua!

A Óscar se le ocurren a veces estas cosas, qué le vamos a hacer. Después de subir y bajar un par de veces en el ascensor, llegamos a la puerta de la productora. Una vez más, nos abrieron sin que nadie preguntase quiénes éramos. Una mujer que estaba detrás de una mesa de cristal fue la primera que nos dirigió la palabra:

–¿Buscáis a alguien, niños? –dijo.

–Venimos a ver al señor Pereda –dijo Óscar, con una seguridad que parecía real.

–¿De parte de quién le digo?

–De Nora Galán –contestó.

Nos hicieron pasar a una sala de espera de paredes blancas, asientos blancos, mesas blancas y alfombras blancas. Daban muchas ganas de pintarla de colores.

Cinco minutos después, llegó un señor delgado con perilla y bigote.

–Tú debes de ser la hija de Martín Galán –dijo, y se volvió hacia Óscar–: Y tu acompañante es...

–Mi mejor amigo, Óscar Lirón.

–Pasad, pasad. Mi despacho está por aquí.

El despacho del señor Pereda también era blanco como un paisaje nevado. Daba un poco de angustia. Y en mitad de tanta blancura, su rostro parecía muy pálido.

–¿Tu padre sabe que le estás buscando trabajo? –preguntó el señor Pereda.

–¡Por supuesto! –saltó Óscar–. Nos lo ha pedido él mismo. Somos sus secretarios personales.

Miré a mi amigo, asombrada. Tenía que reconocer que había sido una buena respuesta.

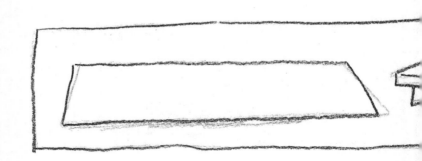

—A nosotros nos gustaría mucho trabajar con tu padre. Nos gustaría saber qué querría...

—¿No tienen ningún concurso? –pregunté–. Mi padre es especialista en concursos.

—Nuestra cadena no emite concursos. Nos parecen demasiado tontos.

—Es una pena, porque son muy divertidos –contestó Óscar.

—Es posible que sí, pero a nuestro director general no le gustan. Él es un hombre muy serio.

—Vaya...

–Habíamos pensado que tu padre quizá quisiera presentar el telediario. El de la mañana, que empieza a las ocho.

–¿A las ocho? Pero tendría que madrugar mucho, y a él no le gusta –dije.

Óscar me ayudó:

–Además, el telediario es muy aburrido. ¿Se han fijado en que los presentadores jamás sonríen?

–¿Y eso qué tiene que ver?

Continué yo:

–A mi padre le gusta mucho sonreír. Además, le favorece. Tiene los dientes muy bonitos. Creo que no podrá ser...

Óscar meneaba la cabeza a un lado y al otro, muy serio. Tenía tan claro como yo que mi padre no sería feliz presentando el telediario.

Así que la primera entrevista fue un desastre. Pero ni Óscar ni yo nos dimos por vencidos. Tal como esperábamos, en cuanto las productoras leyeron el nombre de mi padre y el del famoso concurso, corrieron a escribirnos. Al día siguiente teníamos seis correos y ni una excusa preparada. Y mi padre empezaba a olerse algo raro.

La segunda productora estaba un poco más lejos. Fuimos en metro. Una señora con la cara arrugada me dijo que querían que Martín Galán rodara el anuncio de un microondas.

–¡Huy, no! ¡No le gustan nada los hornos microondas! ¡Él, como mucho, la vitrocerámica! –dije yo–. Además, hace mucho que dejó la publicidad.

En otra querían que presentase un programa de deportes.

—¡Es demasiado del Barça como para hablar de otros equipos! ¡Piensa que todos son malos! Y se pone de mal humor cuando las cosas no van bien para los suyos —dije.

O que persiguiese a famosos para un programa del corazón.

—Mi padre no sabe perseguir a nadie. Está demasiado acostumbrado a que le persigan a él. Me temo que no hay nada que hacer.

Ya comenzaba a desanimarme cuando Óscar me dijo que una productora de Madrid quería hablar con nosotros.

–¿Y cómo lo haremos? ¡No podemos ir a Madrid!

–Lo tengo todo previsto –dijo Óscar haciéndose el misterioso–. ¡Hablaremos por videoconferencia! Pero tendrás que apañártelas tú, porque yo no tengo ni idea de cómo funciona.

Tenía razón: él tiene ideas fantásticas y yo soy la experta en ordenadores. Juntos formamos un buen equipo.

–¡Por supuesto! –dije–. ¡Es pan comido! El único problema es que mi padre me deje. Últimamente está con la mosca detrás de la oreja.

Efectivamente, cuando se lo dije saltó enseguida.

–¡Ah, no! Ya estoy harto de que pases las tardes fuera con Óscar. Hace muchos días que no cocinamos, ni hacemos los deberes juntos, ni paseamos al atardecer. No, no y no.

Caray.

Estaba claro que tendría que pensar en otra
cosa. Necesitaba un poco más de tiempo.

Ah. Por cierto, Mamá continuaba tan perdida
como el primer día.

10

UN PLAN PERFECTO, UN LORO PERDIDO Y UN PRODUCTOR EN LÍNEA

LA SOLUCIÓN ESTABA EN EL LORO. Reconozco que nos pasamos un poquito.

Óscar y yo lo teníamos todo planificado: abrimos la puerta de la jaula de Cincuenta y Seis y le dejamos escapar. El animal dio tres o cuatro saltitos sobre el césped, alzó el vuelo con más bien pocas ganas y trepó al ciruelo que tenemos junto al muro del jardín. Veinte segundos más tarde, ya había saltado al otro lado y no quedaba ni rastro de él.

Entré en casa haciéndome la preocupada.

−¡Cincuenta y Seis no está! ¡Y la jaula está abierta! −grité.

Mi padre tomaba una taza de café en la cocina mientras esperaba a que la coliflor estuviera en su punto y leía un libro titulado *Haz que tus hijos adoren los tubérculos.* Debían de ser más de las seis.

Mis palabras surtieron el efecto esperado. Mi padre se levantó asustado, salió al jardín, miró la jaula, el césped, el ciruelo. Y acto seguido dijo:

–¡Pero ese animal cuesta una fortuna! ¡Tenemos que encontrarlo enseguida!

Y salió a la calle, pies en polvorosa, a buscar al loro escapista.

Era nuestra oportunidad. Encendimos el ordenador de la cocina y cruzamos los dedos para que Cincuenta y Seis fuese muy ágil y muy difícil de capturar.

En un pispás estábamos conectando la video-cámara para hablar con el señor Gorris, el director de la productora Telesuena.

Era un señor que llevaba el pelo de punta y una camiseta de Bob Esponja.

–Hola, chicos, encantado de saludaros –dijo.

–No tenemos demasiado tiempo –le contesté mirando hacia la puerta, como en una de esas películas donde el bueno tiene que conseguir algo contrarreloj.

–Tranquila, yo tampoco –dijo él, y dejó escapar una risotada–. Ya veo que quieres que tu padre trabaje.

–Es una lástima que no lo haga –contesté–. A la gente le gusta mucho. Tiene muchos fans. No es justo que no puedan disfrutar de su talento.

–¡Estoy de acuerdo! –respondió–. ¡Yo soy uno de sus muchos fans! ¡Me encantaba su concurso! No me lo perdía nunca. ¡Era fantástico!

–Gracias –dije–. ¿Quizá le gustaría que hiciera otro?

–¡Precisamente! ¡Y creo que es absolutamente imprescindible!

–¡Tiene mucha razón! –exclamó Óscar, que comenzaba a sentirse eufórico por lo bien que marchaban las cosas.

–Quiero proponerle un trabajo. Presentar el próximo concurso de éxito de la televisión –dijo el señor Gorris.

–¿Tendría que ir a Madrid? –pregunté yo.

–Sí, pero solo tres días a la semana. Podría volver a casa cada jueves por la tarde.

–¿Y el concurso sería divertido?

–¡Muchísimo!

–¿Lo podrían ver los niños?

–¡Por descontado! Sería un concurso para toda la familia.

–¿Mi padre podría enseñar los dientes?

–¿Cómo dices?

Óscar me dio un codazo.

–Quería decir si mi padre llevaría ropa bonita –corregí.

–¡Claro! –confirmó–. ¡Escogida por los mejores estilistas! ¡Y hecha a medida por los mejores sastres!

–¿Y podría recibir visitas durante los rodajes?

(Eso lo pregunté yo, porque me encanta visitar a mi padre durante los rodajes.)

–Tantas veces como quieras.

Sonreí y miré a Óscar. Él estaba en la puerta de entrada, vigilando por si mi padre volvía con Cincuenta y Seis.

–Creo que nos interesa –dije, muy emocionada–. ¿Cuándo podría empezar?

–Enseguida, ¿pero no te interesa saber cómo se llamará el concurso? Es lo mejor.

La idea nos la ha enviado un guionista anónimo que también es inventor, según dice. Es lo más imaginativo que he visto nunca.

–¿Cómo? –pregunté.

–*Construyendo el padre perfecto*. ¿Verdad que suena bien?

¡Mi padre se iba a poner loco de contento al saberlo!, me dije. Al mismo tiempo, comencé a sospechar quién podría ser ese guionista-inventor con tanta imaginación. Miré a Óscar. Estaba colorado como un tomate.

–Pero hay una cosa más, Nora –dijo el señor Gorris, que también parecía muy contento.

–¿Sí?

–Ya te he dicho que sería un concurso familiar. Nos encantaría que lo presentase tu padre, que para eso es el mejor. Pero nos gustaría que tú le echaras una mano. ¿Has pensado alguna vez en ser presentadora de televisión?

¡Caray! No me lo esperaba. Me quedé tan sor-
prendida que no supe ni qué contestar.

En estas escuchamos la voz de mi padre, acercándose desde el jardín:

–Tengo una noticia buena y una mala, niños.
¿Cuál queréis conocer primero?

–La buena –dijo Óscar.

¿Presentadora?

–La buena es que traigo a Cincuenta y Seis de vuelta a casa, sano y salvo.

–¿Y la mala?

–La mala es que se ha caído dentro de un contenedor.

Nosotros también teníamos noticias para él. Pero las nuestras eran todas buenas.

¿Qué digo buenas? ¡Buenísimas!

11
Un final con fiesta sorpresa

Así fue como me convertí en presentadora de televisión. Y como mi padre volvió a ser, más o menos, el que era antes.

Digo «más o menos» porque hay cosas que no han cambiado. Continúa cocinando verduras de todo tipo, asiste a las reuniones del club de lectura de El Librodrilo y se disgusta mucho si no me voy a la cama temprano. En cambio, en casa vuelve a haber tele, el ordenador vuelve a estar en mi habitación y ya no me insiste en que salga con él a dar paseos absurdos. Ahora me deja quedarme con Óscar, escuchar música o ver vídeos de risa, sin arrugar la nariz. De vez en cuando echa un vistazo de padre que quiere tenerlo todo bajo control, pero yo finjo que no me doy cuenta.

Mi vida ha cambiado un poco. Ahora, un día por semana, viajo con mi padre a Madrid, a grabar nuestro programa *Construyendo al padre perfecto*. No es necesario que me quede los tres días de grabación, porque en el programa solo salgo un ratito al final, pero me encanta ver grabar a papá y después ir a cenar con él a alguna pizzería, o al cine, o a algún museo (si no es demasiado grande). ¡Me encanta tenerle todo para mí!

Los días que mi padre está en Madrid, duermo en casa de Óscar y me como las deliciosas recetas que cocina su madre. También ayudo a caminar al Garbanzo –cada día lo hace mejor– y repaso con Óscar las tablas de multiplicar (ya no se le olvida cuánto son 8 por 7 ni 7 por 8). El resto del tiempo vemos vídeos graciosos en el ordenador o escuchamos canciones de las que nos gustan a los dos. Y los viernes por la noche, por nada del mundo nos perdemos nuestras sesiones de película y pizza de cuatro quesos, pero ahora lo hacemos una semana en casa de cada uno. Incluso diría que a papá le empieza a salir la pizza de cuatro quesos tan buena como a la madre de Óscar.

Y he dejado lo mejor para el final.

El otro día, mi padre me preparó una sorpresa. Era un viernes. Parecía un viernes normal, pero camino de casa me encontré a las hermanas Wang y Ling. Hacía mucho que no las veía, desde aquella vez que quedamos para hablar de madres. Estaban sentadas en un banco, al lado de la parada del autobús, y cuando me vieron sacaron de las mochilas sus listas de preguntas. Las hermanas Wang y Ling no van a ninguna parte sin llevar su lista de preguntas. Empezaron a formularlas a toda velocidad:

– ¿Es divertido ser famosa?

– ¿Firmas muchos autógrafos?

– ¿Nos firmarías uno a nosotras?

– ¿Tienes que estudiar los guiones?

– ¿Es muy difícil?

– ¿Te riñe alguien si no te aprendes el guion?

– ¿No te da vergüenza hablar ante la cámara?

– ¿Alguna vez te has quedado en blanco?

– ¿Vas en avión cada semana?

– ¿Se ven las personas desde el avión?

– ¿Y las casas?

– ¿Y las escuelas?

– ¿Marea ir en avión?

–¿Hay sacudidas?

–¿Ahora sacas tan buenas notas como antes?

–¿Óscar ya no quiere vender a su madre?

–¿Podemos acompañarte un rato?

–¿Está muy lejos tu casa?

–¿Te molesta que siempre hagamos tantas preguntas?

Me acompañaron hasta casa. Yo intentaba despedirme de ellas, pero parecía que no querían irse. No entendí nada hasta que mi padre abrió la puerta y vi el comedor de casa lleno hasta los topes. Bajo las banderas de colorines, al lado de los muros grises de nuestro supuesto castillo de la Edad Media, había un montón de gente: Óscar, su madre, mi primo, el Garbanzo y unos cuantos compañeros de mi clase. Todos llevaban escudos y lanzas de caballeros o sombreros

elegantes de damas de la Edad Media. La armadura del recibidor estaba decorada con globos de colores. Sobre la mesa de la cocina había bocadillos, galletas, magdalenas, cruasanes, golosinas y un gran pastel de cumpleaños que decía:

¡FELIZ DÉCIMO CUMPLEAÑOS, NORA!

Las hermanas Wang y Ling se reían por debajo de la nariz.

–¿De verdad no has sospechado nada?

–¿No te has olido que te estábamos entreteniendo?

–¿Te has creído lo del autógrafo?

–¿No te ha parecido extraño que quisiéramos acompañarte?

–¿Te gusta la sorpresa?

–¿Así que ya tienes diez años?

–¿Crees que es importante tener diez años?

–¿Podemos pedirle un autógrafo a tu padre?

–¿Quieres un sombrero medieval?

–¿Nos venderías a tu padre?

–¿O nos lo alquilarías para un fin de semana?

Y mi padre, como si se hubiese contagiado de la manera de hablar de este par, me preguntó:

–¿Creías que me había olvidado de qué día es mañana?

Por poco me desmayo de la alegría. Nunca había tenido una fiesta de cumpleaños. En el jardín había una piñata bien grande, preparada para que la estirásemos por todos los lados. Bajo el ciruelo, en una mesa, aguardaba un montón de regalos envueltos en preciosos papeles de colores.

—¡Pero la sorpresa más grande de todas no es ninguno de estos regalos! —dijo Óscar, otra vez haciéndose el misterioso.

—¿Ah, no? ¿Y qué es? —pregunté.

—Mira —dijo señalando la tumbona del fondo del jardín.

Allí, sobre el cojín de color naranja, Mamá dormía plácidamente. Al verme abrió un ojo, dio un resoplido y movió la cola.

¡Gata lista!

Ella sí que había elegido un buen momento para volver a casa.

TE CUENTO QUE ANDRÉS GUERRERO...

... siempre ha sido dibujante. A los tres años hizo su primer dibujo importante: un tren en la pared del comedor de su casa. Fue la primera vez que «cobró» por un dibujo. Todavía no ha olvidado la colleja que le dio su madre. De aquello ha pasado mucho tiempo, y desde entonces ha escrito e ilustrado muchos libros. Tantos que ha perdido la cuenta. Confiesa que le gusta dibujar a lápiz y deprisa, dibujos fáciles los llama él, como los libros de Óscar y Nora. Nadie entiende cómo un señor tan serio y de pelo blanco puede hacer dibujos tan divertidos.

Andrés Guerrero vive en la sierra de Madrid, en una pequeña casa rodeada de árboles. Allí convive, además de con su familia, con sus gatos, su perra Lúa y un caballo que le visita de vez en cuando. Además de ilustrar libros para otros autores, ilustra los suyos propios, como la serie *Estos monstruos no dan miedo* de El Barco de Vapor. Ha ganado el premio CCEI de ilustración por su libro *Cinco ovejitas*, de SM.

TE CUENTO QUE CARE SANTOS...

... es dos personas a la vez. Sí, sí, como lo oyes: en ella se unen dos «Cares» bien distintas. Por un lado está la escritora, la mujer de mundo, que viaja a tierras lejanas y no tiene miedo de subir a un escenario porque sabe qué decir cuando la están mirando. Por otro, está la mamá de familia numerosa, que hace la compra en el supermercado, inventa pasteles de chocolate y ayuda a sus hijos a hacer los deberes. Lo que pasa es que una no puede vivir sin la otra. La mamá no tendría tantas cosas que contar a sus hijos sin la que no para de viajar, y la viajera no conocería nunca la alegría del regreso a casa sin su familia. Y solo juntas pueden contarnos historias tan divertidas como esta que acabas de leer.

Care Santos nació en Mataró (1970). Ha publicado más de cuarenta libros, tanto para niños y jóvenes como para adultos, y ha recibido varios premios, entre ellos El Barco de Vapor 2009 por *Se vende mamá*.

Si te ha gustado este libro, visita

LITERATURA**SM**•COM

Allí encontrarás:

- Un montón de libros.
- Juegos, descargables y vídeos.
- Concursos, sorteos y propuestas de eventos.

¡Y mucho más!

Para padres y profesores

- Noticias de actualidad, redes sociales y suscripción al boletín.
- Propuestas de animación a la lectura.
- Fichas de recursos didácticos y actividades.